Bruño

Dirección Editorial:
Trini Marull

Edición:
Cristina González

Ilustraciones:
Birgit Rieger

Traducción:
Rosa Pilar Blanco

Diseño de cubierta:
Miguel Ángel Parreño

Título original: *Hexe Lilli und das Geheimnis der versunkenen Welt*
© Arena Verlag GmbH, Würzburg
Este libro se ha negociado a través de Ute Körner Literary Agent, S. L., Barcelona
© Grupo Editorial Bruño, S. L., 2000
Juan Ignacio Luca de Tena, 15
28027 Madrid

ISBN: 978-84-216-3746-3
Depósito legal: M-28706-2009
Impresión: Huertas, Industrias Gráficas, S. A.
Printed in Spain

KNISTER

KiKA
Superbruja
y la ciudad sumergida

ⓑ Bruño

14.ª edición

Al final de este libro
encontrarás dos estupendos
trucos submarinos,
pero no seas impaciente
y... ¡espera a llegar
a la página 119!

9

Ésta es Kika, la superbruja protagonista de nuestra historia. Tiene más o menos tu edad y parece una niña corriente y moliente. Bueno, en realidad lo es…, aunque no del todo. Y es que Kika posee algo muy poco común: ¡un libro de magia!

Una mañana, Kika encontró ese libro junto a su cama. ¿Que cómo llegó a parar allí? Ni idea.

Kika sólo sabe dos cosas: que la atolondrada bruja Elviruja se lo dejó olvidado en un descuido, y que el libro contiene auténticos encantamientos y loquísimos trucos de bruja. Kika ya ha probado algunos. Pero ¡cuidado…!

Será mejor que no intentes imitar los conjuros de Kika, porque…

Si al leer una palabra te equivocas,
tu cepillo de dientes se convertirá en escoba;
tu profesora, en una monstrua abominable,
y el helado que te estás comiendo,
en un pepinillo en vinagre.

Por si acaso, Kika Superbruja no le ha hablado a nadie de su fantástico libro. Es, como si dijéramos, una bruja auténtica, pero secreta. Ha ocultado la existencia del libro de magia incluso a Dani, su hermano pequeño, y esto no le ha resultado nada fácil, pues Dani es muy, pero que muy curioso, y a veces hasta puede resultar algo plasta. Pero, a pesar de todo, Kika le adora.

Bueno… y a continuación, ¡sumérgete en el placer de la superlectura con las aventuras de Kika Superbruja!

Capítulo 1

13

El corazón de Kika late a toda pastilla.

¡Está nerviosísima!

—Es… es… imposible —balbucea—. ¡Mira que no haberme dado cuenta hasta ahora!

Resulta que, hojeando su libro secreto de magia, ha descubierto que hay dos páginas tan bien pegadas entre sí que no logra separarlas. Y, como es lógico, son precisamente esas hojas que no puede ver las que más le interesan… Le encantaría despegarlas de un tirón, pero a lo mejor eso le impediría leer los hechizos que ocultan.

—¿Quién sería la tonta que las pegó así? ¿Quizá la bruja Elviruja? —refunfuña Kika—. No sé, no sé…

Al fin y al cabo, se trata de un auténtico libro de encantamientos, y sin duda ha pasado por las manos de muchas brujas.

—A lo mejor una bruja glotona lo pringó con una mermelada mágica muy pegajosa…, o se le cayó encima salsa de espaguetis hecha con sangre de vampiro. ¡Bah, cualquiera sabe…! —murmura Kika.

Todos sus esfuerzos por despegar las páginas fracasan. Entonces mete la nariz en el libro. Las hojas pegadas despiden un aroma de lo más exótico y embriagador…, un aroma que jamás había olido antes.

En ese momento, Kika escucha un ruido en el pasillo. Pero con una simple mirada a la puerta de su habitación comprueba que nadie puede molestarla. Ha colocado una silla de forma que sea imposible girar el picaporte. Al fin y al cabo, Kika es una bruja secreta y desea seguir siéndolo.

Mira que si en ese momento alguien la descubriera olisqueando las páginas de su libro… ¡Seguro que la tomarían por loca!

La verdad es que muchos de los encantamientos recogidos en su viejo tratado de
magia despiden distintos aromas... Para
ser exactos, ¡la mayoría de ellos apestan!
Como el embrujo del fuego, con su penetrante tufo a pollo quemado; o el sortilegio de la venganza, que huele igualito que
la jaula de los monos del zoológico. Los
encantamientos amorosos, por el contrario,
despiden un delicado aroma a violetas.

Kika vuelve a olfatear las páginas pegadas. ¡Mmmm..., qué olor tan especial,
fresco como el soplo de la brisa marina!
Está cada vez más intrigada.
¿Qué embrujo provocará
ese aroma?

—¡Kika, ábreme!

Dani, su hermano
pequeño,
está aporreando
la puerta.

—¡Deja de darme la lata y lárgate! —le grita Kika.

—¡Es que tienes que ver esto! —insiste Dani—. Tengo una «nieve de bola». Papá y mamá me la han comprado en el mercadillo.

—¿Kika? —se oye la voz de su madre desde el pasillo.

En un abrir y cerrar de ojos, Kika esconde su tratado de magia debajo de la cama, aparta la silla de la puerta y coge un libro de la estantería al azar. Cuando su madre entra en la habitación, se encuentra a Kika tumbada en la cama con aire aburrido.

—¿Por qué no querías dejar entrar a Dani? —pregunta su madre con el ceño fruncido.

Kika se encoge de hombros. ¡Acaban de ocurrírsele dos ideas geniales! La primera es que, la próxima vez, cerrará la puerta con un hechizo. Seguro que en el libro encuentra uno apropiado. Y la segunda es mucho más importante: si se puede cerrar una puerta por arte de magia, seguro que también es posible abrirla de la misma forma... Y si se puede abrir una puerta, ¿por qué no hacer lo mismo con las páginas de un libro?

—Dani sólo quería enseñarte lo que acabamos de comprar en el mercadillo —continúa su madre.

Kika levanta la vista, resignada.

—Está bien, Dani. Enséñame de una vez qué es eso tan importante —dice al fin.

Dani no se hace de rogar:

—¡Mira mi «nieve de bola»! —exclama.

—Se dice «bola de nieve» —le corrige Kika mientras coge el objeto de plástico que le tiende su hermano y empieza a sacudirlo con fuerza.

Kika observa fascinada el pequeño mundo encerrado dentro de la bola: minúsculos copos de nieve caen sobre un paisaje de montañas, casas y árboles.

—¡Fíjate, hasta nieva encima de la vaca! —exclama Dani, entusiasmado.

—La mitad de la bola está llena de agua para que los copos caigan muy despacito después de moverla, ¿lo ves? —le explica Kika mientras vuelve a agitarla.

21

—Cuando yo era pequeña, tuve una parecida —comenta su madre—. La mía no tenía nieve, sino un polvo finísimo y brillante que caía lentamente sobre un mundo submarino. Dentro de la bola había un arrecife de coral, un velero hundido y un caballito de mar diminutos, pero lo mejor de todo era la Atlántida, la ciudad sumergida.

—¡Yo he oído hablar de la Atlántida! —exclama Kika—. ¿No era una ciudad que se hundió en el mar hace muchísimos años?

—En efecto —responde su madre—. Y hay quien dice que se trataba incluso de un continente entero.

—¿Qué es un continente? —pregunta Dani.

—Un continente es mucho más grande que una ciudad.

»Más grande que un país... —le explica Kika antes de dirigirse a su madre—: Anda, cuéntanos más cosas de la Atlántida.

—Muy bien, os contaré todo lo que sé sobre ella, aunque os advierto que no es mucho... —contesta su madre—. Pero eso será después de la cena, así que, ¿algún voluntario para poner la mesa?

—¡Yo, yo! —exclama Dani, y echa a correr hacia la cocina.

Después de cenar, Kika se encuentra con un verdadero dilema. Por una parte le gustaría ponerse a buscar enseguida el hechizo «abrelotodo», pero entonces se perdería la historia de la Atlántida...

Tras vacilar unos instantes, decide que el libro de magia puede esperar y se presenta en el cuarto de Dani justo cuando su madre está a punto de comenzar su relato:

23

—Existen muchas historias sobre la Atlántida, pero, por desgracia, no se conservan testimonios escritos de nadie que la haya visto realmente. Los que han hablado de esa ciudad sumergida se han basado en antiguas narraciones que corrían de boca en boca, aunque hay algo en lo que todos coinciden: la Atlántida era un continente o una isla enorme. Las opiniones sobre cuál era su situación exacta son muy contradictorias. Tal vez se encontraba en algún remoto lugar del océano Atlántico...

—¡Pues claro! —interviene Kika—: *Atlántida* y *Atlántico* se parecen mucho, ¿verdad?

—Al parecer, los habitantes de esa ciudad sumergida tenían una tecnología mucho más avanzada que el resto del mundo —continúa su madre—. En realidad no se sabe cuánto hay de verdad y cuánto de fantasía en las leyendas de la Atlántida, pero sí se conservan antiguos dibujos y pinturas que representan a sus habitantes volando en una especie de globos. ¡Y seguro que levantaron sus espléndidas ciudades con máquinas superpotentes, e incluso disponían de herramientas para cortar la piedra! Es posible que, hace miles de años, esas personas ya emplearan la electricidad, lo cual supone que fueron capaces de crear sus propias centrales de energía.

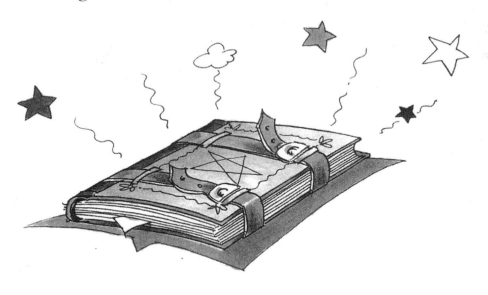

—Sí, seguramente utilizarían la energía solar... —supone Kika.

—¿Y también podían volar en cohetes? —quiere saber Dani.

—Es muy probable —responde su madre—. Hay pinturas antiquísimas grabadas en la roca en las que aparecen personas dentro de artefactos voladores parecidos a naves espaciales.

26

—Pero... ¡es imposible que hace miles de años ya conocieran los cohetes! —Kika se ha quedado boquiabierta—. ¿Quién pintó esos dibujos?

—Sus autores pertenecían a otra cultura diferente, también desaparecida: la civilización maya.

—¿Maya...? ¡Yo conozco a la abeja Maya! —exclama Dani, y de un salto se pone a rebuscar en su cajón de juguetes—. Tengo una cinta con la música de la serie...

Kika y su madre intercambian una sonrisa.

—¿Y qué les pasó a los mayas? —pregunta Kika.

—De ellos sabemos mucho más —contesta su madre—. Vivieron en América, más o menos donde hoy está México, y su cultura también estaba muy avanzada.

»Imagínate que, en el campo de la medicina, ¡hasta eran capaces de operar el cerebro! Los científicos saben mucho más de los mayas que de la legendaria ciudad sumergida… Y es que la civilización de la Atlántida es mucho más antigua.

—¿Y por qué desaparecieron también los mayas? —sigue preguntando Kika.

—Ojalá lo supiéramos… Quizá se debió a alguna catástrofe natural, aunque su caso es diferente al de la Atlántida. Se dice que ésta desapareció bajo el mar, por lo que ya no queda rastro de ella. Pero en cuanto a los mayas…, los científicos cuentan con muchos restos arqueológicos para investigar, y seguramente acabarán averiguando más datos.

—De todas formas, eso de poder volar en cohetes…, no sé, no sé… —comenta Kika.

—Los investigadores no se ponen de acuerdo, y existen diferentes interpretaciones. Algunos suponen que tanto los mayas como los atlantes pudieron ser visitados por extraterrestres. Eso explicaría por qué pintaron esas imágenes, aunque ellos mismos no pudieran construir naves espaciales.

—¡Asombroso! —balbucea Kika.

—¡Ya la tengo! —exclama Dani mientras exhibe una cinta con aire triunfal—: *«La abeja Maya y su amigo Willy.»*

—¡Hay que ver lo listo que eres, Dani! —ríe Kika—. Algún día tienes que prestarme esa cinta.

29

—Bueno, creo que ya va siendo hora de que los dos os vayáis a dormir —dice su madre.

—¿Puedo escuchar antes la cinta, mami, porfaaaa...? —pregunta Dani.

—Está bien —contesta su madre—. Ahora, papá y yo tenemos que salir un momento. Como ya eres mayor, Kika, puedes cuidar de Dani. Volveremos enseguida, y pasaremos a daros las buenas noches.

Mientras Kika se dirige a su habitación, en su cabeza se agitan las fantasías más emocionantes. ¿Y si con ayuda del libro de magia...?

Cuando cierra la puerta de su cuarto, a sus espaldas aún resuena la melodía de la cinta de Dani:

«En un país multicoloooooooor...»

Capítulo 2

A Kika le encantaría poder ir en ese momento a una biblioteca para buscar más información sobre la Atlántida, pero tambíen está deseando abrir las páginas pegadas de su libro de magia. Así que, como las bibliotecas ya están cerradas a esas horas, saca rápidamente su viejo tratado y vuelve a atrancar la puerta con la silla, por si acaso…

Luego coloca el pesado libro sobre la cama y comienza a pasar las hojas. Como todos los encantamientos aparecen por orden alfabético, Kika encuentra enseguida lo que busca. Bajo el título «Hechizo separalotodo» dice: *Abre cualquier cosa.*

Por suerte, la bruja que desee practicar ese encantamiento sólo necesita separar las puntas de los pies mientras recita la fórmula mágica. ¡Facilísimo!

Kika lee en voz alta las palabras del libro con gran decisión y…

¡BRRRUUUUM!

34

¿Qué ha pasado? ¡Todos los objetos de su habitación se han partido en dos!

Kika se queda paralizada del susto. El armario se ha desplomado, la cama se ha hundido, la silla está hecha dos pedazos, la puerta se ha salido del marco... ¡Hasta el casete se ha abierto por la mitad! Parece como si se hubiera producido una gigantesca explosión en el cuarto.

Kika piensa de inmediato en su hermano. ¿Le habrá pasado algo? Angustiada, pasa por encima de la puerta. Y cuando se asoma al pasillo... ¡qué sorpresa! Todo está igual que siempre. La puerta del cuarto de Dani sigue intacta. Pero su hermano tiene que haber oído el estrépito...

Kika entra cautelosamente en la habitación de Dani y suelta un suspiro de alivio. Su hermano está sentado en la cama, de espaldas a la puerta y con los cascos puestos. No es de extrañar que no haya oído nada.

Kika vuelve enseguida a su cuarto. Está claro que el «Hechizo separalotodo» tiene un campo de acción reducido. Entonces coge el libro de magia y… ¡oh, no, todas sus páginas también se han separado! Menos mal que no están demasiado revueltas y encuentra enseguida el contrahechizo. ¡Ojalá consiga dejarlo todo como estaba!

Con las puntas de los pies bien juntas, pronuncia las palabras mágicas.

¡PATAPUUUM!

Todo lo que se había separado vuelve a unirse a la velocidad del rayo. Aunque, con los nervios, Kika se ha olvidado de lo más importante: mientras duró el «Hechizo separalotodo» se olvidó de mirar las páginas del libro de magia, que ahora vuelven a estar pegadas. ¡Porras! A pesar de todo, no se atreve a practicar de nuevo el encantamiento; es demasiado peligroso. ¡Porras, porras y más porras!

¿Qué ha sido eso? Papá y mamá ya están de vuelta en casa, y Kika esconde rápidamente el libro debajo de la cama y coge la enciclopedia escolar de su estantería.

Poco después llaman a la puerta de su habitación.

—Adelante —dice Kika.

—Nos hemos retrasado un poco... —se disculpa papá.

«¡Menos mal!», piensa Kika, aunque enseguida contesta:

—No importa, papá.

—¿Qué estás leyendo? —le pregunta su madre.

—Cosas de la Atlántida... Pero la verdad es que esta enciclopedia no dice mucho. Sólo que un historiador de la antigua Grecia llamado Platón escribió algo sobre ella hace más de dos mil años, aunque todo lo que sabía era a través de leyendas mucho más antiguas aún. ¡Me gustaría tanto saber más cosas de ese reino sumergido...!

—¡Ay, Kika, cuando te propones algo…! —susurra su padre mientras le acaricia la cabeza.

—¡A lo mejor cuando seas mayor te haces investigadora y descubres los misterios de la Atlántida! —sonríe su madre.

—Estamos orgullosos de ti, hija —añade su padre—. Ahora nos vamos a dormir, aunque, si quieres, tú puedes seguir investigando un ratito…

Tras darle un beso de buenas noches, sus padres salen de la habitación. Entonces Kika devuelve la enciclopedia a la estantería y empieza a pensar. Le encantaría visitar la Atlántida, pero… ¿cómo hacerlo? Con el hechizo del «Salto de la bruja» se puede viajar en el tiempo, a la época y al lugar que uno quiera. Kika ha vivido aventuras estupendas gracias a ese encantamiento. Una vez viajó al Lejano Oeste, otra se trasladó a la época de los piratas, otra se desplazó hasta un yacimiento arqueológico del antiguo Egipto y hasta sacó una momia de su sarcófago...

Pero el «Salto de la bruja» exige una condición que Kika es incapaz de cumplir esta vez: tiene que poseer algún objeto de la época a la que quiere viajar y sostenerlo entre las manos mientras pronuncia la fórmula mágica. ¡Y de la Atlántida ni siquiera tiene una idea clara, y mucho menos un objeto! Además, también le preocupan las páginas pegadas de su libro de magia...

De repente se le ocurre una idea. Se levanta de la cama de un salto y al instante se planta en el cuarto de sus padres, que, afortunadamente, no están dormidos aún.

—¿Puedo preguntaros una cosa? A lo mejor podéis ayudarme a resolver un problema...

—Haremos lo que podamos, Kika —responde su padre—. Tú dirás...

—Bueno, pues... Muchas veces, vosotros habéis conseguido abrir cosas que yo no podía... Por ejemplo tú, papá, abriste la cremallera atascada de mi anorak, y tú, mamá, la cerradura del cerdito-hucha de Dani cuando él perdió la llave...

—¿Qué tal si fueras al grano, Kika? —replica su madre, divertida.

—Muy bien... ¿Cómo separaríais dos páginas de un libro que están pegadas entre sí sin que se rompan?

Sus padres reflexionan un instante y, por suerte, ninguno de los dos le pregunta de qué libro se trata. Al fin, su padre le sugiere:

—Pon a hervir agua en una tetera.

41

Después, sostén las páginas pegadas sobre ella y deja que el vapor las impregne. A lo mejor así se despegan. Leí ese truco en una novela policíaca. El agente secreto lo utilizó para abrir una carta sin que se notara, y luego volvió a cerrarla sin dejar huellas. Si funciona con las cartas, debería ocurrir lo mismo con las páginas de un libro. ¡Pero ten mucho cuidado si lo intentas, no vayas a quemarte!, ¿eh?

—¡Gracias a los dos! —exclama Kika, y a continuación se larga a toda prisa a su cuarto antes de que a sus padres se les ocurra empezar a hacerle preguntas incómodas.

Kika no piensa poner en práctica el truco del vapor de agua hasta estar sola en casa, sin nadie que pueda observarla. ¡La seguridad ante todo!

Su problema parece resuelto, y sonríe satisfecha antes de quedarse dormida.

Al día siguiente, Kika se da mucha prisa en volver del colegio. Quiere probar el truco del vapor de agua mientras su madre va a buscar a Dani a la guardería.

Comienza poniendo la tetera al fuego. Luego lleva a la cocina el pesado libro. ¡Le parece que el agua tarda una eternidad en hervir! Por fin, Kika se pone unas manoplas de cocina y sostiene las páginas pegadas sobre el vapor.

¡Parece que funciona! Las hojas no se han separado del todo, pero al menos se han despegado por los bordes.

Kika vuelve corriendo a su habitación, y justo en ese momento oye cómo Dani y su madre entran en casa. ¡Apenas tiene tiempo de guardar de nuevo el libro en su escondite a toda velocidad!

—¿Kika? —la llama su madre desde la cocina.

¡Porras! Con las prisas, se ha olvidado de apagar el fuego de la tetera…

«La mejor defensa es un buen ataque», piensa, y a continuación pregunta haciéndose la inocente:

44

—¿Está hirviendo ya el agua, mamá?

—¡Pues claro que está hirviendo! —responde su madre—. ¡Todo está lleno de vapor!

Kika se presenta en la cocina con una postal en la mano y dice:

—Es que quería despegar el sello de esta postal con ayuda del truco que me dijo papá.

—Pero ¿no querías separar las páginas de un libro? —pregunta su madre.

—Sí, y ya lo he hecho. Por cierto: nunca más volveré a comer pan con mermelada mientras leo...

Durante la comida, Dani anuncia orgulloso:

—Mamá y yo tenemos que volver enseguida a la guarde... ¡Vamos a ayudar a preparar la fiesta de verano!

Kika está encantada con la noticia. Así nadie la molestará en toda la tarde.

Después de comer vuelve a su habitación, aunque todavía pasa un buen rato hasta que Dani y su madre se despiden.

Cuando por fin puede sacar el libro de magia de su escondite, Kika apenas puede dar crédito a lo que ven sus ojos...

¡Las páginas se abren como si nunca hubieran estado pegadas! Enseguida comienza a leer un párrafo al azar:

Caca de sapo y sangre de vampiro,
eres muy hábil, bruja, en serio te lo digo.
Pero ten gran cuidado,
te aconseja un amigo,
cuando empieces a recitar
estas páginas del libro.

A continuación el texto explica que, por motivos de seguridad, esas dos páginas sólo se abren al tercer intento de leerlas, como garantía de que sólo las brujas expertas podrán conocer las peligrosísimas posibilidades de esa fórmula mágica.

Un penetrante aroma envuelve el libro... y pronto también a Kika.

Lo que descubre la deja sin aliento. Al parecer, utilizando la «Escalera de Orfeo» se puede entrar en mundos prohibidos para los mortales. Kika empieza a sudar, y nota cómo se le pone la carne de gallina... El texto está lleno de advertencias y avisos de peligro, aunque la simple lista de los distintos mundos que pueden visi-

tarse estremecería de miedo a cualquiera. Kika tenía una vaga idea de la existencia de algunos de ellos, pero de la mayoría no había oído hablar hasta ese momento. Aparecen por orden alfabético:

¡ATENCIÓN!

¡EL ACCESO A LA «ESCALERA DE ORFEO» ES SUMAMENTE PELIGROSO! El gremio de brujería no se hace responsable de los posibles daños ocasionados por este hechizo. Caca de sapo y sangre de vampiro, eres muy hábil, bruja, en serio te lo digo. Pero ten gran cuidado, te aconseja un amigo, cuando empieces a recitar las páginas del libro.

Lista de mundos Pro

· Mundo de las Civilizaciones Sumergidas
· Mundo de los Dioses del Olim
· Mundo de la Emperatriz Infan
· Mundo de los Microorganismos
· Mundo de los Moradores del Mag del Centro de la Tierra
· Mundo de los No Muertos y Eterna Olvidados
· Mundo de los Objetos Perdidos
· Mundo de los Pensamientos Inacabados
· Mundo de los Protoplasmas Hexaédricos
· Mundo del Señor de los Anillos
· Mundo de los Titanes del Cosmos

Página 713 bis

1897

—¡Yuupiii! Con la «Escalera de Orfeo» puedo ir al mundo que me apetezca…, ¡incluso a la Atlántida! —exclama Kika entusiasmada, y comienza a leer cómo abrir la puerta mágica que conduce a esa misteriosa escalera.

Al cabo de un rato, Kika mira su reloj. Todavía tiene tiempo de ir a la biblioteca para buscar libros que hablen de la Atlántida. Quiere estar bien preparada para cuando llegue el momento del viaje. Si todo va bien, mañana por la noche se atreverá a dar el gran paso, de modo que, ahora, ¡a la biblioteca!

Kika pide prestados algunos voluminosos tomos sobre la Atlántida y se pasa buena parte de la noche repasándolos. Ya de madrugada decide acostarse, pues si quiere emprender el gran viaje la noche siguiente, deberá estar muy descansada.

Nada más apoyar la cabeza en la almohada, el misterioso nombre de la ciudad sumergida empieza a dar vueltas en su cabeza.

La Atlántida…

¡Suena a aventura!

Capítulo 3

¿**Q**ué equipaje habrá que llevarse a un mundo sumergido? Está claro: ¡el menos posible! Kika se mete su ratoncito de peluche en el bolsillo, por supuesto. Lo necesita para regresar a su época y al lugar correcto, ya que, aunque proyecta viajar a la Atlántida con ayuda de la «Escalera de Orfeo», piensa volver mediante el «Salto de la bruja», que ya ha demostrado muchas veces su eficacia.

¿Se llevará también la cámara de fotos? No, no, seguro que se le estropearía con la humedad. ¿Y qué se pondrá para el viaje? ¡A saber cómo iba vestida la gente de esa avanzada civilización de hace diez o quince mil años...! Después de darle muchas vueltas, Kika decide ponerse su ropa normal y corriente. Tal vez sea el mejor modo de pasar inadvertida...

Llegó el momento. Dani lleva mucho rato dormido y sus padres se disponen a acostarse también.

Kika espera impaciente hasta que el silencio se hace en la casa.

¡Por fin puede empezar! Saca su libro de magia del escondite y, con muchísimo cuidado, copia en un papel el sortilegio de la «Escalera de Orfeo». Pero de pronto una idea inquietante le viene a la mente: cuando la escalera se haya abierto en su habitación, ¿volverá a cerrarse en cuanto la haya traspasado, o se quedará abierta, de forma que alguien pueda seguirla en su peligroso viaje? ¿Qué sucedería si sus padres se despertasen por casualidad y se asomaran a su cuarto?

¿Cómo explicarles la presencia de la escalera?

¡Porras! ¿Por qué no habrá caído antes en ese detalle? Habría podido coger cualquier flor del jardín y utilizarla para trasladarse desde su habitación hasta el exterior de la casa mediante el «Salto de la bruja». Una vez fuera, habría formulado el conjuro de la «Escalera de Orfeo» y asunto concluido… Pero ahora no le queda más remedio que deslizarse a patita hasta el jardín, y eso aumenta el riesgo de ser descubierta.

Kika se asoma al pasillo. Parece que todo está tranquilo. Conecta la alarma de su reloj de pulsera para que suene justo en el momento de regresar y se dispone a salir cautelosamente de casa. En el último momento se acuerda de su linterna: la necesita para leer la fórmula mágica en la oscuridad del jardín. Recorre el pasillo de puntillas, abre la puerta de entrada y sale al exterior. Todo sigue en silencio.

Kika enciende la linterna, desdobla el papel con la fórmula mágica y respira profundamente. A continuación, musita el sortilegio.

La magia comienza a actuar y todo queda envuelto en espesos jirones de niebla. ¡En el suelo del jardín acaba de aparecer una puerta plateada! La niebla es cada vez más espesa, pero el resplandor de la puerta guía a Kika.

Cuando sus pies rozan la brillante superficie, ésta parece transformarse en un líquido gelatinoso. Un sinfín de pequeñas olas hacen que la masa ondulante parezca viva…

De pronto, el extraño líquido plateado se abre por la mitad y deja a la vista una larga y retorcida escalera que desciende hacia las profundidades de la tierra. Con mucha cautela, Kika roza el primer peldaño con la punta del pie.

A pesar de los escalofríos que recorren su espalda, comienza a descender.

No tarda en percibir un agradable aroma. «¡Hummm! Huele igual que las páginas pegadas de mi libro de magia...», se dice mientras baja los escalones. Las paredes que limitan la escalera por ambos lados despiden un cálido resplandor plateado, y el descenso está lleno de curvas y más curvas.

Vuelve a sentir un poco de miedo y, justo cuando comienza a pensar en darse media vuelta, la escalera desemboca en un salón de piedra lleno de columnas.

Por todos lados hay enormes puertas de madera tallada, con representaciones de espantosos rostros, con extraños adornos o con divertidas imágenes que invitan a traspasarlas... En los marcos hay rótulos que indican a qué mundo se abre cada una de las puertas.

Admirada, Kika recorre la sala, y cuando descubre la puerta de las «Civilizaciones Sumergidas» corre hacia ella y acciona el picaporte dorado con gesto decidido. ¡Con qué facilidad se abre!

Tras cruzar el umbral, la puerta se cierra a sus espaldas con un ruido sordo. Kika se estremece de miedo, pero está tan impresionada por lo que ve que ni siquiera intenta dar marcha atrás.

Ahora se encuentra en una sala circular cubierta por una inmensa bóveda. El suelo, las paredes y el techo están revestidos de piedrecitas brillantes.

En esta sala también hay numerosas puertas decoradas con imágenes de cometas, soles, signos mágicos…, y con letreros que permiten saber adónde conducen.

Cuando descubre la puerta de la Atlántida, Kika la cruza sin vacilar, y lo que ve la deja sin aliento: ante ella se abre un camino cubierto de conchas entre un mar de flores. Kika casi no se atreve a posar los pies en él, por temor a romper las bellísimas conchas. Las flores son de una variedad y hermosura desconocidas.

Cuando alza la vista, Kika nota que empiezan a temblarle las rodillas. Y es que el cielo —si es que a aquello se le puede llamar cielo— es como una enorme cúpula que permite contemplar un mundo submarino de colores sencillamente indescriptibles. Bancos de peces plateados se desplazan por el agua; majestuosas rayas gigantes se deslizan como si volaran; arrecifes de coral se elevan en forma de torres, y las plantas acuáticas, de un intenso verde, se mecen al ritmo de la suave corriente.

Kika está tan asombrada
que pasa un buen rato hasta que,
al fin, se decide a explorar ese
mundo desconocido, y justo al dar
los primeros pasos…

—¡Ayúdame! —grita una voz agudísima
muy próxima a ella.

Kika se lleva un susto tremendo. Mira a
su alrededor, pero no ve a nadie.

—¡Aquí, aquí! —vuelve a oír.

Las plantas que bordean el camino crecen
en aguas poco profundas, y Kika se moja
los pies en su intento de averiguar de
dónde procede esa voz.

—¿Hay alguien ahí? —pregunta con tono
inseguro.

—¿Cómo que si hay «alguien»? —replica la
aguda voz, que parece muy enfadada—.
¡Te está hablando nada menos que el rey
Todobombo, de la noble estirpe de los

Pomposos Máximos, hijo del insigne soberano Esnórquel! Tienes ante ti al señor del orgulloso pueblo de los Bomboyplatillo y general en jefe de sus indomables huestes…

Kika descubre entonces al personajillo que se abre paso con grandes esfuerzos entre la frondosa vegetación y avanza decidido hacia ella. Cuando se encuentran frente a frente, Todobombo se yergue muy ufano de su importancia y levanta su tridente de hierro con aire amenazante.

Pero Kika apenas puede contener la risa, porque el orgulloso caudillo militar de gesto amenazador y que apenas le llega a las rodillas es nada más y nada menos que… ¡una tortuga! Eso sí, una tortuga capaz de erguirse sobre sus dos patas traseras y que sabe hablar. En la armadura que le protege el pecho resalta un auténtico escudo real, y calza unas brillantes botitas plateadas. El orgulloso héroe en miniatura incluso lleva al cinto una espada ricamente adornada, pero del tamaño de un palillo de dientes.

Aunque minúsculo, el monarca parece tener un genio de cuidado, y asesta a Kika tres pinchazos en la pantorrilla con su tridente mientras la increpa:

—¡Cuando uno se encuentra ante un rey, hay que hacer una reverencia, señorita...!

—Claro, claro —farfulla Kika, completamente turulata. La verdad es que no se había imaginado así a los habitantes de la Atlántida.

—Bueno, ¿nos vas a ayudar o no? —le pregunta el personajillo con aire impaciente.

—¿Ayudaros? Pero... ¿a qué? —replica Kika—. Quiero decir que soy nueva aquí, y no creo que pu... pueda...

—¡Basta, insignificante medusa! ¿A qué viene ese tartamudeo? —la interrumpe bruscamente el rey tortuga mientras aprovecha para pincharla de nuevo con su tridente—. No te lo estaba preguntando... ¡Te lo estaba ordenando! Al fin y al cabo, ¡soy el rey!

—Claro, pero… ¿Cómo voy a…? Quiero decir… No sé si… —balbucea Kika.

—¡Yo ordeno y tú obedeces! —la interrumpe el intrépido personajillo.

—En general me gusta ayudar, pero…

—¡No pienses, limítate a cumplir órdenes! —la riñe el rey tortuga al tiempo que desenfunda su espada e intenta pincharle las zapatillas con ella.

La situación se está volviendo bastante divertida, y tratando de contener la risa, Kika pregunta al diminuto rey:

—Muy bien… ¿y en qué puedo servir a Vuestra Majestad?

Todobombo deja de pincharla en el acto.

—Eso ya me gusta más… —dice mientras devuelve su miniespada a la funda—. Primero enséñame la mano.

Kika extiende su mano derecha.

—¡La derecha no, la izquierda, pedazo de quisquilla!

Kika obedece y extiende la mano izquierda, pero el rey, en lugar de estrechársela, se limita a echar un breve vistazo a la palma.

—¡Lo que me figuraba! Mis sospechas eran ciertas. Acompáñame ahora mismo a la ciudad. Lo mejor será que me lleves en brazos… ¡y deprisita!

Kika sigue sin entender nada de nada, pero accede al deseo del personajillo. Esa ciudad sólo puede ser la Atlántida… y ése es precisamente el destino de su viaje, así que coge en brazos al monarca como si fuera un bebé.

—¡Hacia allí! —le ordena él señalando la dirección con el dedo.

Kika avanza por el sendero empedrado de conchas.

—¿Dónde se encuentra exactamente la puerta por la que has entrado? —pregunta Todobombo al cabo de un rato de camino.

Kika no está dispuesta a revelar sus secretos de bruja, de modo que responde:

—No le entiendo, Majestad...

—¡Babas de ballena! ¡A mí no me la das con queso! Has entrado aquí... No llevas la señal, y tus orejas... son distintas... ¡Todo tu aspecto es distinto!

—¿Distinto de quién? —pregunta Kika.

—De los acuanautas, por supuesto.

—¿Los acuanautas?

Pero antes de que el rey tortuga se lo explique, una esplendorosa ciudad aparece en el horizonte, y Kika comprende en el acto que los habitantes de esos edificios que parecen palacios no pueden ser de ningún modo tortugas... ¡Son construcciones enormes!

—¡La Atlántida! —exclama maravillada ante la visión de la ciudad en forma de anillo—. ¡Es igual que la de las ilustraciones de mis libros!

—¡Rápido, a cubierto! —le ordena Todobombo con su habitual tono de mando—.
¡Agáchate! ¡No deben vernos juntos!

—¿Y por qué tengo que esconderme, si
Vuestra Majestad me permite la pregunta?
—replica Kika ligeramente irritada.

—¡Las órdenes las doy yo! —brama
el pequeño rey, indignadísimo ante
semejante falta de respeto.

—¿Ah, sí? ¿Y qué ordena ahora Vuestra Majestad? —pregunta Kika al tiempo que levanta una ceja.

—Dime inmediatamente dónde está la entrada por la que has llegado hasta aquí.

—¿Para qué queréis saberlo?

—¡Esa información me convertirá en un héroe real! Iré a la ciudad y recibiré muchos agasajos porque sabré dónde se encuentra la salida oculta...

—¡Genial! ¿Y yo qué haré mientras tanto? —pregunta Kika.

—Tú esperarás aquí. Más tarde, cuando hayamos liberado a todos y lo estemos celebrando, podrás reunirte con nosotros.

Ahora sí que Kika no entiende una palabra... Pero lo que sí tiene claro es que no piensa tolerar más impertinencias.

—¡Estoy harta! —grita—. Me voy a ver la Atlántida yo solita, ¡hala!

—¡Te lo prohíbo, alga maloliente, eructo de tiburón...!

—¡Que os zurzan, Majestad! —le responde Kika, y emprende la marcha hacia la ciudad.

Todobombo empieza a patalear, pero cuando comprende que esa actitud no va a servirle de nada, echa a correr detrás de Kika.

Sin embargo, ella camina a grandes zancadas y es muy difícil seguirla. ¡Está impaciente por visitar la Atlántida!

—¡Por favor, por favor! Tú conoces un camino de salida... —clama el rey tortuga con un tono sorprendentemente humilde.

Kika vacila y termina por volverse hacia él.

—Necesito tu ayuda —suplica el monarca—. No te la pido para mí, sino para todos nosotros... ¡Por favor, por favor!

—Creía que esas palabras no figuraban en el vocabulario real... —replica Kika.

—Salva a mi pueblo, ¡te lo suplico! —gime el pequeño rey al tiempo que se arroja entre sollozos a los pies de Kika.

Como es natural, ella se compadece de Todobombo, que está hecho un mar de lágrimas.

—Bueno, ¿dónde está el problema? —le dice—. ¿Y cómo puedo ayudarte?

—Disculpa mi comportamiento, por favor —le ruega el monarca tras sonarse la nariz—. Comprende que soy un rey y no estoy acostumbrado a pedir ayuda. ¡Pero es que el tiempo apremia!

—Entonces intenta ser breve y cuéntame sólo lo imprescindible.

—De acuerdo. Todo eso que ves debajo de la cúpula protectora es la Atlántida. En esa gran ciudad viven los acuanautas. Nosotros, el orgulloso pueblo de los Bomboyplatillo, vivimos a medias entre la Atlántida y el mar. Abastecemos a los acuanautas de alimentos procedentes de nuestras enormes plantaciones situadas fuera de su ciudad y, a cambio, los acuanautas nos permiten acceder a sus pantanos de flores.

»Pero nosotros sólo podemos estar un tiempo determinado fuera de la Atlántida, pues tenemos que regresar una y otra vez a coger aire.

»Hasta ahora, esto no había planteado problemas... Pero un terrible pulpo gigante ha cerrado la puerta de acceso a la Atlántida y se zampa de un bocado a

todo el que pase a su lado. Varios acuanautas e incontables bomboyplatillos han perdido la vida intentando liberar esa puerta. Y si no hacemos algo pronto, todavía morirán más: mis súbditos de las plantaciones, al negárseles el acceso al aire, y a largo plazo los acuanautas, porque se quedarán sin víveres.

»El Consejo de Ancianos de los acuanautas se ha reunido y no para de deliberar. Pero no encuentran la solución. Sólo nos queda una esperanza...

»Por lo visto, existe otra entrada a la Atlántida, pero sólo el mago o chamán de los acuanautas la conocía. Por desgracia, ese mago murió hace mucho tiempo, y se llevó el secreto a la tumba.

»¿Comprendes ahora mi reacción cuando te vi de pronto en los pantanos de flores? Parecías tan extraña que pensé...

—¿Cuánto aire le queda a tu gente, la que está ahí fuera? —le interrumpe Kika.

—Me temo que muy poco...

—Entonces condúceme hasta el Consejo de Ancianos, ¡y deprisita!

Capítulo 4

Todobombo trepa a la espalda de Kika, se agarra con fuerza a ella igual que un bebé koala y ambos se dirigen apresuradamente hacia la ciudad.

Por fin, Kika puede ver cómo son realmente los habitantes de la Atlántida.

Su primera impresión es que parecen personas normales y corrientes, quizá un poco más bajas, pero al observarlas con más atención descubre que tienen las orejas muy pequeñas y de una forma muy peculiar...

¿Serán una especie de branquias para respirar bajo el agua?

Sus cuellos también parecen muy largos, y los llevan cubiertos con vistosos cuellos de encaje o de cuero.

Lo que es evidente es que los moradores de la Atlántida dan mucha importancia a su aspecto: todos parecen competir entre sí en la riqueza de sus ropajes.

Kika ve ropas amplias de aspecto indio, pero también vestiduras ceñidas de brillantes colores, como las que llevan los deportistas, por no hablar de los adornos principescos de aire medieval y los petos de cuero bordados en oro, como los que usan los samuráis japoneses.

—¡Vamos, sigue, que pareces un pato mareado! —exclama Todobombo, impaciente—. ¿Has olvidado que nos espera una importante misión? ¡Adelante, sigue caminando hacia el Consejo! —añade mientras le indica el camino con su tridente.

Kika obedece, aunque la verdad es que le encantaría detenerse para charlar con los acuanautas.

La extraña pareja parece no llamar la atención, aunque no es demasiado sorprendente, dada la variedad de todo lo que les rodea… ¡Incluso algún acuanauta los saluda amablemente de cuando en cuando!

Kika cree descubrir a una persona de orejas normales entre el gentío, y lo que es más extraño aún…: con zapatillas deportivas corrientes y molientes.

¡Increíble!

De repente, Todobombo le propina un tremendo tirón de pelos y le grita:

—¡Alto!

Se encuentran ante una puerta exquisitamente decorada y flanqueada por dos guardianes.

—¡Conducidme inmediatamente ante el Consejo! —les ordena Todobombo—. Y anunciad que yo, el rey Todobombo, de la noble estirpe de los Pomposos Máximos, hijo del insigne soberano Esnórquel y general en jefe de las invencibles huestes de Bomboyplatillo… Bueno, anunciad simplemente que traigo la salvación para nuestros pueblos.

Uno de los guardianes se apresura a llevar la noticia al Consejo mientras el otro conduce a los dos visitantes por algunos pasillos y escaleras hasta una enorme sala.

Allí, un grupo de acuanautas sentados alrededor de una mesa redonda discuten acaloradamente.

En cuanto entran Kika y el rey Todobombo, la conversación cesa.

Kika cuenta diecisiete hombres y mujeres, todos vestidos con una especie de hábitos de terciopelo color púrpura. Su pelo blanco como la nieve revela su avanzada edad, y su aspecto inspira respeto.

—Bienvenido, querido Todobombo —dice al fin una mujer con voz suave—. Seguramente podrás explicarnos por qué traes sin avisar a una extraña ante el Consejo de Ancianos.

Con un salto formidable, el rey tortuga se sube a la mesa y exclama:

—¡Os traigo la salvación! Ella no tiene la señal.

Un murmullo de extrañeza recorre el grupo de acuanautas.

—Apareció en los pantanos de flores, como surgida de la nada. La salida debe de estar por allí…

—¿Y bien? ¿Quién eres tú y qué respondes? —pregunta un hombre de larga barba dirigiéndose a Kika.

El corazón de Kika late atropelladamente.

¿Qué pasará si dice algo indebido? ¿La castigará el Consejo por haber entrado sin permiso en sus dominios?

En un gesto de pánico, mete la mano en el bolsillo de su pantalón para comprobar si su ratoncito de peluche sigue ahí.

¿Podrá pronunciar el sortilegio del «Salto de la bruja» para regresar a su mundo?

—¿Y bien? —insiste el barbudo, esperando la respuesta.

—¡Seguro que ella puede salvarnos! —interviene Todobombo—. ¡Por la noble estirpe de los Pomposos Máximos de Bomboyplatillo, me lo dice el corazón! Es nuestra única esperanza…

—¿Es que, además de no llevar la señal, tampoco tienes voz? —pregunta otro de los acuanautas a Kika.

—¿La… señal…? —Kika escoge con cuidado las palabras para ganar tiempo—. ¿A qué os referís?

En el más absoluto silencio, y como obedeciendo una orden, los acuanautas levantan a la vez su mano izquierda y Kika puede ver que todos lucen un tatuaje circular en la cara interna de la muñeca.

Un emblema con símbolos mágicos en cuyo centro sonríe una sirena.

Kika levanta también su mano y otro murmullo de voces se alza entre los presentes.

Entonces la mujer de voz suave interviene de nuevo:

—Te lo explicaré. Todos los acuanautas llevamos este signo desde tiempos inmemoriales, y también algunas personas de la superficie...

—¿Es que aquí hay también terrícolas? —la interrumpe Kika.

—Por supuesto —responde la mujer—. Cayeron al mar en el triángulo de las Bermudas, a muchos miles de millas marinas sobre nosotros, y tuvieron la suerte de que los pescáramos por casualidad. Si aceptan vivir según nuestras reglas, los acogemos entre nosotros.

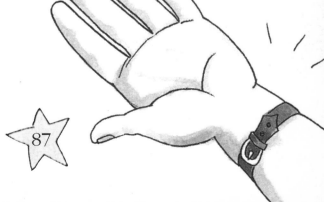

»Pero antes de cruzar para siempre la puerta de entrada a nuestro reino, permiten que les tatuemos este signo como símbolo de unión con nuestro pueblo.

»Tú no llevas la señal y, sin embargo, estás aquí. De modo que no has podido entrar por esa puerta… Nuestro viejo chamán insistía en que existe otra entrada a nuestro mundo, una entrada que, sin embargo, nos está vedada a los acuanautas corrientes. ¿Acaso eres una chamana? ¿O una druida, o bruja, o comoquiera que lo llaméis vosotros, los terrícolas?

—¿Y qué pasaría si lo fuera? —pregunta Kika con suma cautela.

—En ese caso, quizá podrías ayudarnos a resolver un grave problema —declara el acuanauta barbudo.

—¡Podrías salvar a toda la Atlántida! —exclama Todobombo mientras aporrea la mesa con el mango de su tridente.

Tras reflexionar durante largo rato, Kika responde:

—El rey Todobombo me ha dicho que un pulpo gigante acecha en esa puerta. ¿Y qué pensáis que puedo hacer yo ante esa fiera? Vosotros habéis sido capaces de construir toda esta magnífica ciudad bajo el agua con vuestra avanzada tecnología… ¿y no podéis libraros de la amenaza de un simple pulpo? Seguro que tenéis cañones submarinos, o fusiles láser, o…

Todos los miembros del Consejo de Ancianos estallan en ruidosas protestas hasta que uno de ellos pide silencio con un gesto y explica a Kika:

—Los acuanautas juramos rechazar cualquier tipo de violencia, y hemos permanecido fieles a esa promesa desde que abandonamos el violento mundo de la superficie, hace ya miles de años. ¡Preferiríamos morir antes que romper nuestro juramento!

—¡Pero nosotros, los habitantes de Bomboyplatillo, no hemos prometido nada de eso! —interviene Todobombo blandiendo su tridente.

—Creo que, aunque pudierais exterminar a esa bestia, nos veríamos obligados a impedíroslo —responde el acuanauta barbudo con una triste sonrisa—. Si utilizaseis la violencia en nuestro nombre contra esa criatura y el pulpo muriese, vosotros os habríais convertido en nuestro instrumento, en nuestra arma…, y nosotros también seríamos culpables. Quizá ese pulpo sólo sea una prueba a la que nos somete el destino, pero la superaremos sin traicionar nuestros principios —entonces el acuanauta se dirige nuevamente a Kika—: No creas, sabia chamana, que no nos importa morir. Si hubiera una salida, una puerta por la que pudieras conducir a nuestro pueblo para salvarlo de su extinción, te estaríamos tan agradecidos…

A Kika le da vueltas la cabeza. El hechizo de la «Escalera de Orfeo» dice claramente: *Jamás traigas un ser vivo de vuelta a tu mundo. ¡Nunca! ¡Bajo ninguna circunstancia!* Además, ¿qué sería de esas criaturas pacíficas si las llevara con ella? Las exhibirían en el zoológico, o en la televisión, y eso le parece una idea espantosa.

—Me temo que no puedo ayudaros —responde al fin, entristecida—. Aunque, si

91

viese a ese pulpo, a lo mejor se me ocu-
rriría algo para echarle...

—¿Y por qué no lo intentas? —le pregunta uno de los acuanautas.

—Pero... ¡ahí fuera todo está sumergido,
y yo no puedo respirar bajo el agua!
—protesta Kika.

—Debes masticar estas perlas —dice la
mujer de voz suave mientras le tiende una
bola azul del tamaño de una nuez—. Te
protegerán de la alta presión del agua y
te proporcionarán oxígeno.

—Y yo puedo prestarte a Avantilos, mi
caballo de mar —añade el acuanauta barbudo—. Es el más rápido, y en caso de
apuro te librará de cualquier peligro a la
velocidad de un tifón.

—Debemos darnos prisa —interviene el
rey Todobombo, muy preocupado—:

A mi gente apenas le queda aire ahí fuera… ¡Quién sabe si todavía viven!

Kika comprende que la situación es desesperada y que todos han depositado sus últimas esperanzas en ella. ¿Cómo va a decepcionarlos? ¡Imposible!

—Lo intentaré, así que… ¡venga esas bolas de aire! —exclama—. ¿Y dónde está el caballo de mar?

Mientras el acuanauta barbudo da instrucciones para que ensillen su caballo inmediatamente, Kika se entera con todo detalle del funcionamiento de las píldoras. Es muy sencillo: simplemente se mastican como si fueran chicles y proporcionan aire durante unos minutos.

—No se te ocurra masticar una perla nueva hasta

93

que hayas gastado la vieja, y nunca tomes más de una perla al mismo tiempo... ¡Sus efectos serían demasiado fuertes! —le advierten una y otra vez.

Kika se guarda una buena provisión de perlas en los bolsillos de sus pantalones.

—¡Seguro que no necesitarás tantas! —se ríe el barbudo mientras la comitiva de ancianos y el rey Todobombo la acompañan hasta el estanque de los caballos.

Kika se queda extasiada al verlo. Es completamente redondo, y varios caballitos de mar nadan en sus aguas cristalinas.

¡Son mucho mayores de lo que ella suponía!

Uno de ellos, quizá el más hermoso, saca la cabeza fuera del agua. Lleva puestas unas riendas, y cuando ve al acuanauta barbudo brinca fuera del agua relinchando alegremente. Una vez en tierra, se impulsa a grandes saltos desenroscando su cola. El acuanauta le susurra unas palabras al oído y, al instante, el simpático animal se agacha cuanto puede para que Kika pueda subirse a su lomo.

—Puedes hablar con él. Avantilos te entenderá —le explica el acuanauta.

—Me llamo Kika, y siento mucho no tener nada rico para darte, ¡pero no contaba con esto, la verdad!

El caballo de mar asiente con aire bonachón y da un pequeño saltito.

—¡Recuerda que Avantilos no puede resistir mucho tiempo fuera del agua!

En ese momento, el caballo de mar da un salto enorme y se zambulle en el estanque. Por suerte, asciende rápidamente a la superficie y comienza a nadar en círculos.

Hecha una sopa, Kika tose y trata de expulsar el agua de su nariz, pero tras unos momentos se suma a las risas del grupo de acuanautas.

¡El paseo a caballo promete ser divertidísimo!

—¡Deberíamos irnos! —le advierte Todobombo, impaciente—. Mi gente nos espera...

—Haré todo lo que pueda —le promete
Kika antes de añadir en un tono que no
admite réplica—: Y nada de «deberíamos», querido Todobombo. Probaré fortuna yo sola, con la ayuda de Avantilos.

—¡Así me gusta! —aprueba la mujer de
voz suave.

—¡Que Neptuno, el dios del mar,
os ayude! —corean todos
los acuanautas.

—Llévate por lo menos
mi espada —le dice
el pequeño rey—.
Pertenece a mi hijo
Bomboymedio,
que ahí está, fuera,
esperando ayuda.

Kika sujeta la espada a la silla de Avantilos y después susurra al oído del caballo:

—A los pantanos de flores.

Se alejan saltando al instante, y cuando alcanzan la puerta de la ciudad, Kika aprovecha para coger un tridente olvidado por alguno de los guardianes.

Por fin llegan a los pantanos de flores. Kika desmonta y deja que Avantilos recupere el aliento dentro del agua. Entonces se asegura de que nadie la ha seguido.

Y es que se le ha ocurrido una idea: en lugar de utilizar la «Escalera de Orfeo», saldrá al exterior de la cúpula que envuelve la Atlántida con ayuda del «Salto de la bruja». Por fortuna, lleva consigo la espada de Todobombo, que le permitirá reunirse con su hijo Bomboymedio sin pérdida de tiempo.

Kika monta de nuevo a lomos de Avantilos, se mete una perla en la boca, aprie-
ta la espada contra su pecho para que la
conduzca al lugar adecuado y musita
la fórmula mágica del «Salto de la bruja».

Unos segundos después se desliza por el
agua a toda velocidad.

Al masticar la perla, Kika deja que las burbujas de oxígeno salgan de su boca, igual
que un buceador. ¡Es precioso verlas ascender por encima de su cabeza!

Sin embargo, apenas dispone de tiempo
para disfrutar del viaje, porque enseguida
se encuentra frente a un numeroso grupo
de tortugas.

—Hola, ¿estáis todos bien? —pregunta—.
Nos han enviado a ayudaros. Todobombo
os manda saludos. Está muy preocupado
por vosotros y se alegrará mucho de
vuestro regreso. ¡Ya falta poco!

—¿Está libre el camino? ¿Habéis vencido al pulpo? —pregunta Bomboymedio, el hijo del rey Todobombo.

—Todavía no. Debéis tener paciencia y guardar vuestras fuerzas y el aire que os quede.

—Pero… ¿cómo habéis podido llegar hasta aquí sin que os haya atrapado el pulpo? —pregunta Bomboymedio, extrañado.

—¡Ahora no hay tiempo para explicaciones! —replica Kika—. ¡Debéis aguantar hasta que volvamos!

—Tres de nosotros ya no resistirán mucho más… Son viejos y débiles, y pronto morirán asfixiados.

En efecto, Kika ve tres tortugas casi inmóviles, y empieza a pensar rápidamente.

—¡Tengo una idea!
—exclama.

Con un hábil tirón de las riendas, Kika conduce a Avantilos hacia el enorme caparazón vacío de un molusco. A continuación coloca tres perlas en su interior, le da la vuelta y comienza a saltar sobre él.

El caballo de mar entiende enseguida cuál es su propósito y la imita tamborileando sobre el caparazón con la punta de su cola. Entonces el aire comienza a brotar y asciende formando grandes pompas.

—Estas burbujas de aire bastarán para todos vosotros mientras yo voy a enfrentarme al pulpo —dice Kika antes de alejarse a lomos de Avantilos.

Haciendo honor a su fama, el caballo de mar avanza a una velocidad de vértigo.

Pero al llegar a la puerta que da paso al mundo sumergido de la Atlántida, Kika siente que sus fuerzas flaquean.

¡Acaba de descubrir al pulpo, y su aspecto es francamente aterrador!

—Caramba, ¿qué es lo que veo? Un minúsculo y delicioso aperitivo... —se alegra el monstruo, que gira complacido sus enormes ojos mientras una saliva verde gotea de su boca.

—¡No pienso dejarme asustar por un monstruo tan asqueroso como tú!

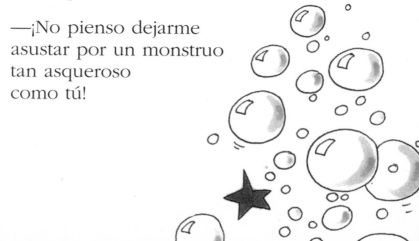

—replica Kika, en un intento de disimular su miedo.

Por fin se decide a atacar al pulpo con su tridente, aunque con cuidado de no causarle daños graves, pues así se lo ha prometido a los acuanautas. Pero todo es en vano. El pulpo utiliza sus tentáculos como si fueran látigos, y Kika sólo consigue escapar de los tremendos golpes gracias a la rapidez de Avantilos.

Por fin se le ocurre una idea genial:

—¡Lo intentaré de otra manera, montón de gelatina inmunda! —grita.

Kika ha atrapado una anguila por la cola. Sabe que esos animales son capaces de soltar descargas de muchos voltios para librarse de sus enemigos…

—¡Veamos qué tal te sienta un buen calambre! —exclama al tiempo que lanza la anguila hacia el pulpo.

Pero éste se limita a hacer «ÑAAAM» y la anguila desaparece entre sus gigantescas fauces en menos que canta un gallo.

Al poco rato, los ojos del monstruo se iluminan unas cuantas veces, pero sin mayores consecuencias.

—¡Hummmm…, qué picante estaba ese pinchito! —se burla el pulpo—. Acércate, anda, que voy a convertirte en mi plato fuerte.

104

Kika comprende que sólo podrá vencer al monstruo utilizando la astucia, y reacciona enseguida:

—¿Y qué me darás a cambio si dejo que me comas?

—¡Qué pregunta más tonta! —sonríe el pulpo—. Pues te daré... la muerte, ¡y concretamente en mi propia boca, ja, ja, ja!

—Muy bien, ¡entonces ven a buscarme! —replica Kika.

—¿Acaso me has tomado por una merluza alelada? No pienso caer en una trampa tan simple. Lo único que pretendes es alejarme de esta puerta. No, no..., no voy a morder ese anzuelo. Puedo esperar. Tarde o temprano, los de ahí dentro querrán salir, y entonces comeré hasta hartarme.

Kika empieza a desesperarse. ¿Qué puede hacer ahora? De repente se da cuenta de que el efecto de la perla comienza a

desaparecer y enseguida se mete otra en la boca, un gesto que parece despertar la curiosidad del pulpo.

—¿Qué comes?

Kika vacila un momento, y al instante una sonrisa se dibuja en su rostro.

Finge paladear la perla con gran placer y contesta:

—Sólo es una perla del amor…

—¿Una perla del amor?

—Si te comes unas cuantas, la gente se enamora de ti. Espera y verás… ¡Enseguida te volverás loco por mis huesos!

—¡Ja, ja, ja, eso no te lo crees ni tú! Aunque, pensándolo bien…, es cierto que te quiero… ¡que te quiero comer, ja, ja, ja!

El pulpo se ríe tanto de su propio chiste que su enorme panza empieza a temblar.

—Tú espera a que empiece a activar el hechizo… —insiste Kika.

—Seguro que a mí no me hace efecto tu magia, pero… ¿cómo dice ese antiguo refrán de los pulpos? Ah, sí: «Antes de comer y después de comer, debes comer y comer y comer.» Así que, venga, dame una de esas perlas del amor.

—Mejor ven tú a buscarla… —le provoca Kika.

—¡Otra vez ese estúpido truco para alejarme de aquí! Ya te he dicho que no voy a picar el anzuelo.

Kika finge meterse otra perla en la boca y le pregunta:

—¿Y qué me darás tú si te doy a probar una?

El pulpo, que se muere de curiosidad y de glotonería, contesta:

—Te regalaré la vida.

—Con eso no basta.
Tendrías que
abandonar la puerta.

—Pero no a cambio de una sola perla.
Para eso tendrás que darme todas las que
tienes.

—¿Y entonces los dejarás libres a todos?

—¡Claro que sí! ¡Vamos, dámelas!

—¿Y abandonarás la puerta? ¿Me lo prometes?

—Prometido. ¡Venga, no seas pesada!

El pulpo, impaciente, agita sus tentáculos ante las narices de Kika hasta que ella le entrega las perlas. ¡Cuatro puñados que el monstruo empieza a engullir con avidez!

—¡No comas muchas de golpe! —le advierte Kika—. Ya voy notando que empieza a hacerme efecto el encantamiento. ¡Me muero de ganas de acercarme a ti y darte un beso!

—¿Ah, sí? Pues ven, ven... —ríe el pulpo a la vez que se zampa de un bocado todas las perlas que quedaban.

—Primero debes abandonar la puerta, como me prometiste.

—¿Por quién me tomas? —resopla el pulpo—. ¡Eres más tonta que la más tonta de todas las merluzas tontas! ¿Acaso creíste que iba a cumplir mi promesa?

—¡Ay, el embrujo amoroso! —balbucea Kika, haciendo gala de sus excelentes dotes de actriz mientras observa cómo el cuerpo de la bestia comienza a hincharse—. Sus efectos son irresistibles, y no puedo esperar más... ¡Tengo que besarte!

—¡Je, je, je..., acércate, acércate! —se alegra el pulpo, cada vez más hinchado.

111

—Por favor, no mastiques las perlas tan deprisa o la magia se volverá más fuerte aún y atraerás a todos los animales marinos, que también querrán besarte.

—¡Ven de una vez! —bufa el pulpo, masticando y tragando como un descosido.

Su cuerpo va hinchándose cada vez más, pero él, encantado con el banquete que le espera, sigue sin darse cuenta de nada. Mastica y mastica sin parar y, de repente, sucede…

¡Está tan hinchado que empieza a ascender como un globo lleno de aire caliente!

Desesperado, el pulpo intenta bajar por todos los medios, pero no lo consigue.

—¿Adónde te vas
ahora? —le grita Kika,
burlona—. ¡Quédate
aquí abajo para
que pueda darte un beso!

Pero el pulpo ya no
puede oírla.

Está demasiado ocupado agitando sus tentáculos en un intento de luchar contra el
gigantesco cargamento de aire que lleva
en su panza.

Kika observa sonriente cómo se aleja la
bestia, pero enseguida recuerda que aún
tiene una misión importante que cumplir.

—¡Al galope! —grita, y Avantilos adivina
en el acto el destino del viaje.

Kika ayuda a subir a su silla de montar a
las tortugas más debilitadas y, cuando re-
gresa a la puerta, descubre a los acua-

nautas, que, a lomos de sus caballitos de mar, cabalgan hacia ellos para llevarse a la Atlántida a las tortugas rezagadas.

Todos prorrumpen en gritos de júbilo al verla, y multitud de seres marinos nadan hasta ella para felicitarla.

—¿Explotará el pulpo? —pregunta más tarde Kika a la mujer de la voz suave.

Todos están reunidos en la sala del Consejo tomando una copa de delicioso zumo de algas efervescente.

—Por supuesto que no —la tranquiliza la mujer—. ¡Aunque tendrá dolor de barriga durante una buena temporada!

—Y seguro que ya no volverá más a la puerta —añade el acuanauta barbudo—.

Los pulpos son muy cobardes, ¿sabes?, y no creo que se arriesgue a que le den otro escarmiento.

—En fin, Kika... —continúa la mujer de voz suave—: Nosotras dos deberíamos tomarnos un tiempo para charlar con calma. Tengo muchas preguntas que...

Al oír la palabra «tiempo», Kika mira su reloj de pulsera y comprueba que el suyo también se ha agotado. ¡Tiene que regresar antes de que descubran su ausencia!

—Perdón, pero creo que tendremos que dejar esas preguntas para otra ocasión —se disculpa—. Me esperan tareas muy urgentes. Siento mucho tener que abandonaros tan deprisa, pero volveré..., os lo prometo.

—¡Espera, te acompañaré! —exclama la mujer, que parece dispuesta a seguirla.

Pero el acuanauta barbudo la sujeta con delicadeza:

—Ya sabes que los chamanes deben seguir su propio camino…

Kika se dirige apresuradamente a los pantanos de flores. Allí nadie la verá. Lanza una última mirada a la Atlántida y suspira:

—Volveré, Atlántida, volveré…

A continuación estrecha el ratoncito de peluche contra su pecho y pronuncia el conjuro del «Salto de la bruja».

Su cama está muy calentita, pero el contacto con la ropa mojada resulta de lo más desagradable. Además, está algo mareada por el «Salto de la bruja».

A pesar de todo, Kika se levanta de un salto y se dispone a salir corriendo de casa.

¡Tiene que saber qué ha sido de la «Escalera de Orfeo» que abrió en el jardín, no sea que a alguien se le ocurra utilizarla!

Sin embargo, su padre la detiene en mitad del pasillo.

—Pero ¿qué haces, Kika? ¿Cómo es que te has levantado tan temprano? Y parece que llevas la ropa mojada...

—Es que he estado... Es que soy... soy una investigadora de la Atlántida, y para acostumbrarme a la humedad me he dado una ducha con la ropa puesta.

—¡Qué cosas se te ocurren! —exclama su padre, divertido—. Ve a ponerte algo seco ahora mismo, antes de que a mí me dé por convertirme en investigador de electrodomésticos… ¡y te meta de cabeza en la secadora!

Truco submarino

«Bola brillante»

Como un pequeño recuerdo de su aventura, Kika se fabrica una auténtica bola brillante de la Atlántida. ¡Seguro que Dani se pondrá verde de envidia al verla!

Sin las historias sobre la ciudad sumergida que le contó mamá, a Kika jamás se le hubiera ocurrido visitar la Atlántida. Entonces nunca hubiera conocido al rey Todobombo, ni a los acuanautas, ni a Avantilos, el precioso caballito de mar…

En homenaje a todos ellos, Kika ha decidido fabricarse una bola brillante tan bonita que dejará a todo el mundo con la boca abierta. ¡El mundo sumergido de la Atlántida en miniatura!

Kika busca en la cocina un frasco de mermelada vacío. Escoge el más bonito. Es muy importante que la tapa cierre bien.

Ahora necesita figuritas de plástico. En el cajón de juguetes de Dani encuentra muchos muñequitos y, entre ellos, hasta una tortuga igualita al rey Todobombo.

Kika monta un pequeño paisaje fantástico en la cara interior de la tapa del frasco, y pega bien las figuras con un pegamento muy fuerte.

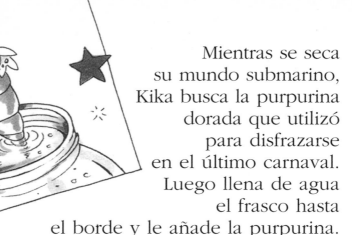

Mientras se seca
su mundo submarino,
Kika busca la purpurina
dorada que utilizó
para disfrazarse
en el último carnaval.
Luego llena de agua
el frasco hasta
el borde y le añade la purpurina.
Cuando la tapa con las figuras pegadas
está bien seca, Kika cierra cuidadosamen-
te el frasco. Ahora ya sólo falta darle la
vuelta y… ¡listo!

Truco submarino

«Magia acuanauta»

123

¿Serías capaz de sumergir una hoja de papel en el agua de un recipiente abierto sin que se moje?

Se hace así:

Arruga la hoja de papel
y colócala en un vaso alto.

El papel sólo debe llenar
el vaso hasta la mitad,
y tiene que quedar
apretado para que no se caiga.

A continuación viene
tu entrada triunfal
en escena.

Murmura en voz baja:

Por la estirpe de la medusa
y las ancas de la rana:
¡Papel, sumérgete en el agua!
Por el tubo del esnórquel
y las babas del percebe:
¡Papel, que el agua en paz te deje!

Entonces gira el vaso con el papel dentro y sumérgelo derecho y muy deprisa en el agua.

Verás cómo se forma una burbuja dentro del vaso, el papel se quedará seco… ¡y tú habrás dejado mudo de asombro a todo el mundo!

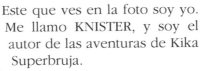

¡Hola!

Este que ves en la foto soy yo. Me llamo KNISTER, y soy el autor de las aventuras de Kika Superbruja.

Como siempre me ha gustado vuestro mundo, el de los chicos y chicas como tú, he escrito muchos libros y canciones para vosotros, y también obras de teatro.

Me encanta presentar programas de lectura en la tele, la radio, las bibliotecas, los teatros y las librerías de mi país (que, por cierto, es Alemania), y también disfruto mucho cuando realizo trabajos para chicos y chicas que son discapacitados psíquicos, o disléxicos, o ciegos..., todos ellos de tu misma edad.

Pero lo mejor de todo es cuando vosotros participáis conmigo en lo que hago, leyendo mis libros y compartiendo las aventuras de los personajes que los protagonizan.

En esta ocasión he querido presentaros a Kika Superbruja. Como es una bruja supersecreta, me costó bastante que me explicara sus trucos de magia, pero al final lo conseguí. Aunque..., no sé por qué, pero me da la impresión de que Kika Superbruja no me ha contado todos sus supersecretos... ¡y a lo mejor todavía le quedan unos cuantos hechizos guardados en la manga!

Índice

Trucos submarinos

Los libros de KNISTER